BRAVO!

_____

est capable de lire ce livre!

Pour tous les enseignants, surtout mon prof d'art au collège
qui m'a dit que j'avais du talent... Vos paroles m'ont
encouragé durant toutes ces années.

— *James Dean*

Catalogage avant publication de Bibliothèque et Archives Canada

Dean, James, 1957-
[Pete at the beach. Français]
Pat à la plage / James Dean, auteur et illustrateur ;
Isabelle Montagnier, traductrice.

(Je lis avec Pat le chat)
Traduction de: Pete at the beach.
ISBN 978-1-4431-3619-8 (couverture souple)

I. Montagnier, Isabelle, traducteur II. Titre. III. Pete at the beach. Français.

PZ23.D406Pap 2014   j813'.6   C2013-907979-3

Édition publiée par les Éditions Scholastic,
604, rue King Ouest, Toronto (Ontario) M5V 1E1,
avec la permission de HarperCollins.

7 6 5 4 3   Imprimé au Canada 119   16 17 18 19 20

Je lis avec Pat le chat

PAT À LA PLAGE

James Dean

Texte français d'Isabelle Montagnier

Éditions
SCHOLASTIC

Il fait très chaud aujourd'hui!
Pat le chat va à la plage avec
sa maman et son frère Max.

— Allons dans l'eau,
propose Max.

— Plus tard peut-être,
dit Pat.

Max aime faire du surf.

Il glisse sur les grosses vagues.

Ça semble amusant.

— J'ai chaud, dit Pat.

— Va dans l'eau! suggère sa maman.

— Plus tard peut-être, dit Pat.

Pat fait un château de sable.

Sa maman l'aide.

Une grosse vague arrive.

Pat se sauve en courant.

Oh non! Qu'est-il arrivé
à son château de sable?

Max suit une grosse vague.
— Super! dit Pat. Ça
semble vraiment amusant.

Pat et sa maman vont se promener.

Ils trouvent des coquillages.

Ils voient un crabe.

Pat se mouille les pieds.

Il fait très chaud.

Seuls ses pieds sont au frais.

C'est l'heure de dîner.

Pat mange un sandwich.

Il boit de la limonade.

Le soleil est très chaud.

Pat a vraiment chaud.

Max est tout mouillé : l'eau
l'a rafraîchi.

— Jouons au ballon,
propose Pat.

— Non merci, dit Max.
Je veux faire du surf.

Pat joue au ballon avec
sa maman sous le soleil.

— Allons mettre les pieds
dans l'eau, suggère-t-elle.
— D'accord, répond Pat.

L'eau est fraîche.

Ça fait du bien!

Pat s'aventure un peu
plus loin.

Max fait signe à Pat et lui crie :

— Je veux t'apprendre à faire du surf!

Cette fois, Pat ne dit pas
« plus tard peut-être ».
Il s'écrie :
— Allons-y!

— Couche-toi sur la planche,
dit Max.

Pat se couche sur la planche.

— Rame, dit Max.

Pat rame avec ses bras.

Il attend une grosse vague.

Une grosse vague arrive!

— Lève-toi! crie Max.

Pat se lève.

Puis Pat tombe à l'eau!
Il a eu peur, mais il ne
s'est pas fait mal.

— Essaie de nouveau un peu plus tard, suggère Max.

Pat veut essayer tout de suite.

Pat se couche sur la planche.

Il rame et attend une vague.

En voilà une!

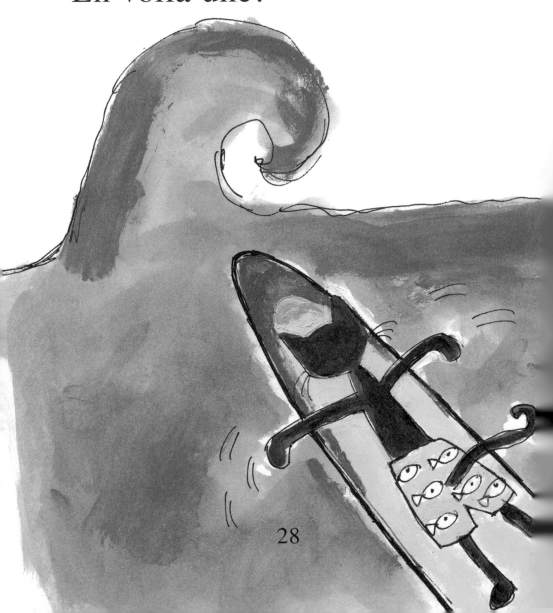

Pat se lève.

Cette fois, il suit la vague!

— Bravo! dit Max.

Pat veut faire du surf toute la journée. Max aussi.

Alors ils en font à tour de rôle.

Pat et Max s'amusent comme des fous dans les vagues.
Quelle journée é-*pat*-ante!

Parfois, au début, on
a peur, mais c'est si
cool d'être un surfeur!